Loula

et Monsieur le monstre

À ma mère, Denise, qui souhaiterait que sa fille
ait de bonnes manières...

Dépôt légal – Bibliothèque et Archives nationales du Québec, 2015
Bibliothèque et Archives Canada, 2015

Loula et Monsieur le monstre
ISBN 978-2-89579-715-9

Titre original : *Loula and Mister the Monster* d'Anne Villeneuve (ISBN 978-1-77138-326-4).
© 2015 Kids Can Press Ltd., Corus Quay, 25 Dockside Dr., Toronto, Ontario M5A 0B5.

Texte et illustrations : © 2015 Anne Villeneuve
Direction éditoriale : Nicholas Aumais, Gilda Routy
Mise en pages : Danielle Dugal

Merci à Jasmine Villeneuve pour son aide à la traduction.

© Bayard Canada Livres inc. 2015

Nous reconnaissons l'aide financière du gouvernement du Canada par l'entremise
du Fonds du livre du Canada (FLC) pour des activités de développement de notre entreprise.

Conseil des Arts   Canada Council
du Canada   for the Arts

Bayard Canada Livres inc. remercie le Conseil des Arts du Canada du soutien accordé à son programme d'édition
dans le cadre du Programme des subventions globales aux éditeurs.

Cet ouvrage a été publié avec le soutien de la SODEC. Gouvernement du Québec - Programme de crédit d'impôt
pour l'édition de livres - Gestion SODEC.

Bayard   Bayard Canada Livres
CANADA   4475, rue Frontenac, Montréal (Québec) Canada H2H 2S2
         Téléphone : 514 844-2111 ou 1 866 844-2111
         edition@bayardcanada.com
         bayardlivres.ca

Imprimé en Chine

Loula
et Monsieur le monstre

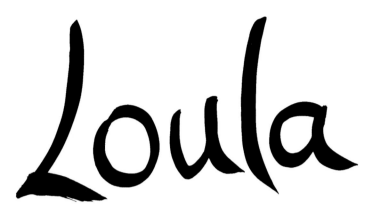

Texte et illustrations de
Anne Villeneuve

Bayard
CANADA

Partout où va Loula, Monsieur son chien
la suit sans faire de chichis.

Tout est parfait quand ils sont ensemble
tous les deux.

Mais un jour, Loula entend par hasard
une troublante conversation...

— J'en ai assez! hurle sa mère. Je ne peux plus
vivre avec ce... ce MONSTRE!

Loula se doute bien
de qui sa mère parle.
Un certain « monstre » qui
est un peu trop malpropre,
un peu trop gaffeur
et un peu trop gourmand...
un peu trop souvent.

Ce soir-là, Loula est trop inquiète pour pouvoir dormir.
Elle convoque son chien à une réunion.

— Monsieur, l'heure est grave. Si tu continues à mal
te comporter, maman te jettera dehors, comme une paire
de vieilles chaussettes. Qu'est-ce que je ferais sans toi?

— Mais ne t'inquiète pas, lui dit-elle en s'endormant tout contre lui. Je vais t'aider à devenir le plus parfait de tous les chiens. Et maman ne pourra plus jamais te résister.

Le lendemain matin, Loula prépare son plan.

— Réveille-toi, gros paresseux. Bienvenue à l'école des bonnes manières de Loula. Leçon numéro un: *Être toujours propre et présentable du museau jusqu'à la queue.* Allez, hop! dans le bain, Monsieur mon chien.

— Avec ton teint, c'est en plein la cravate qu'il te
faut. Je crois que c'est comme ça que fait papa...

— J'espère que ça ne dérangera pas si je la raccourcis
un peu. Je ne voudrais pas que tu trébuches.

— Très chic! dit Loula. Prêt pour la leçon numéro deux?
Bien se tenir à table.

— Premièrement, tu dois
attendre que tout le monde
soit servi avant de commencer
à manger les tartines au fromage...

— Tiens le verre avec
ton petit doigt en l'air...

Malheureusement,
Monsieur n'a d'yeux que
pour une chose: les tartines!

— Quel désastre! dit Loula.
Vite! Sortons d'ici!

Gilbert, le chauffeur de la famille, aperçoit Loula et son chien
échoués sur les marches de l'escalier.

— Mademoiselle, pourquoi êtes-vous si triste ?

— Oh, Gilbert, réplique Loula, si Monsieur n'apprend pas les bonnes
manières rapidement, maman le jettera dehors, comme une paire
de vieilles chaussettes ! Qu'est-ce que je ferais sans lui ?

— Avez-vous dit «bonnes manières»?
demande Gilbert. J'ai un livre
sur ce sujet. Il doit être dans une
de mes poches... Ah, le voici.

— Que dit-on pour la leçon
numéro trois? demande Loula.

— Voyons voir...
Leçon numéro trois:
Marcher, ne pas courir.
Devrions-nous aller au parc,
mademoiselle?

— C'est ce que je pensais.

— Je savais que ça ne serait pas
facile, dit Loula, en s'agrippant
à la laisse de Monsieur.

— Peut-être pourrions-nous passer
à la leçon numéro quatre,
suggère Gilbert, à bout de souffle.
Rester calme et respirer profondément.

Après une relaxante séance de yoga dans le parc, Monsieur est enfin calme.

— Gilbert, je crois que nous sommes prêts pour la prochaine leçon.

— Leçon numéro cinq, dit Gilbert, en se
frottant le dos. *Se tenir loin des flaques.*

— Merveilleux! Il y a toujours des flaques
dans un parc. Trouvons-en une.

— Mademoiselle? Êtes-vous sûre que c'est une bonne idée?
Cette flaque est vraiment énorme.

— C'est le but, Gilbert! Si Monsieur peut s'empêcher
de sauter dans la fontaine, il résistera à n'importe quoi.

Étonnamment, Monsieur n'y arrive pas.

— Gilbert, dit Loula, c'est bien plus dur que je ne le croyais. On dirait que mes leçons ne fonctionnent pas.

— En effet, mademoiselle, convient Gilbert. Peut-être devrions-nous prendre une pause avant d'entamer la leçon numéro six: *Ne pas sauter sur tout ce qui bouge.*

Soudainement, quelque chose capte l'attention de Monsieur.

— Oh non! Un écureuil! dit Loula.

— Oh non! Le musée! s'exclame Gilbert.

— Monsieur, STOOOOP! crie Loula.

— Il est trop tard, déclare Gilbert. Votre chien
a échoué la leçon numéro six.

Loula, Monsieur et Gilbert sont envoyés
directement au bureau de la sécurité.

Puis, ils se font montrer la porte du musée.

— Hum... Je crois que nous n'y serons pas réinvités
de sitôt, dit le chauffeur.

— Gilbert, et si mon chien était une cause perdue ?
Et si maman le jetait réellement dehors ?

— Ne désespérez pas, mademoiselle Loula.
Quelques leçons supplémentaires, et le tour
sera joué... j'espère.

— Chuuut, ne faites
pas de bruit, chuchote
Loula alors qu'ils entrent
dans la maison.

— Où étiez-vous donc? demande sa mère. C'était tellement
silencieux dans la maison sans vous deux!

— Maman, vas-tu jeter Monsieur dehors comme une vieille
paire de chaussettes?

— Mais bien sûr que non! répond sa mère. Qu'est-ce qu'on
ferait sans lui?

— Maintenant, ouvrez-moi la porte pour que je puisse me débarrasser de ce... ce MONSTRE.